CUENTOS DE AMISTAD

Silver Dolphin
en español

ÍNDICE

Lilo & Stitch

Amigos para Siempre

En un planeta lejano, una criatura azul llamada Experimento 626 se presentaba ante el Gran Concejo. Su creador, Jumba Jukiba, estaba con él. Debido a que 626 destruía todo lo que tocaba, habían acusado a Jumba de crear un monstruo.

La Gran Concejal se volvió hacia 626. —Muéstranos que hay algo bueno dentro de ti —le dijo.

—¡*Meega, no la queesta!* —respondió 626.

—¡Muy mal! —jadeó la Concejal—. No hay lugar para él entre nosotros. —¡Llévenselo!

Entonces pusieron al Experimento 626 en una nave espacial que lo llevaría a un lejano planeta, pero antes de llegar a su nuevo hogar, escapó en una nave patrulla de policía. Se dirigió directamente a la Tierra, a una pequeña isla.

La Gran Concejal mandó a Jumba y a un experto en la Tierra llamado Pleakley a recuperar a 626.

Mientras tanto, en la isla, una pequeña niña llamada Lilo corría tan rápidamente como podía. Se le hacía tarde para su clase de hula hula.

Cuando llegó, Lilo se formó subrepticiamente en la línea dejando tras de sí un rastro de agua salada. Las otras bailarinas se resbalaron en el suelo mojado y se cayeron.

–¡Alto!–gritó su maestro–. Lilo, ¿por qué estás toda mojada?

Ella le explicó que se había zambullido en el agua para alimentar a un pez con un sándwich de crema de maní.

–Estás loca –dijo Myrtle, una de las bailarinas.

Lilo se abalanzó sobre ella.

–¡Lilo! –gritó su maestro, tirando de ella.

–Perdón –dijo Lilo–.

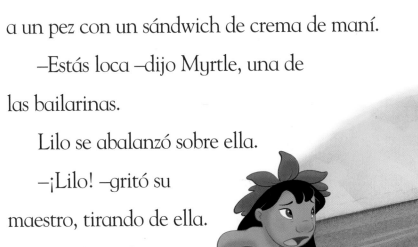

Voy a portarme bien.

7

Pero nadie quiso que se quedara, así que volvió a casa. Lilo estaba muy sola. No tenía amigos; sus padres ya no estaban y su hermana mayor, Nani, aunque era una hermana mayor buena, tenía problemas para hacer las veces de padre y madre. Para colmo, un trabajador social amenazaba con separar a Lilo de Nani.

Esa noche, las hermanas se enfrascaron en una gran pelea. Lilo se fue a su cuarto y cerró la puerta de un golpe. Nani subió las escaleras y se disculpó.

De pronto, Lilo vio algo brillante en el cielo nocturno. –¡Una estrella fugaz! –gritó. –Tengo que salir a pedir un deseo.

Nani se fue al pasillo pero se quedó cerca de la puerta para poder escuchar el deseo de su hermana.

–Necesito alguien que sea mi amigo –susurró Lilo.

Nani no se había dado cuenta de lo sola que estaba su pequeña hermana. Mañana, decidió, irían por un perro para que le hiciera compañía a Lilo.

El destello que Lilo había visto era la nave del Experimento 626 al estrellarse en la isla. Un camionero lo encontró y lo llevó a un refugio para animales. Los otros animales se asustaron al ver a 626, pero a él no le importaba. Apretujó dos de sus cuatro brazos hacia el torso para parecerse más a un perro. Alguien lo podría adoptar y de esta forma tendría un lugar para esconderse de los extraterrestres que lo perseguían.

Lilo y Nani pronto llegaron al refugio.

–¡Hola! –dijo Lilo cuando vio a 626.

–Hola –respondió la criatura y luego la abrazó.

Lilo volvió a la habitación del frente y le dijo a Nani que había encontrado el perro que quería. –Es un buen perro –dijo–. Se ve. Se llama... Stitch.

Se llevaron a Stitch a casa, aunque Nani pensaba que se veía extraño.

10

Nani estaba contenta de que Lilo finalmente tuviera un amigo. Cuando se fue al trabajo, Lilo y Stitch fueron a dar un paseo. Pasearon por toda la isla,

e incluso se detuvieron comprar un helado en el camino. Stitch era salvaje, pero Lilo y él se divertían.

Más tarde, en el restaurante donde Nani trabajaba, Stitch vio a Jumba y a Pleakley, que estaban vestidos como turistas. Cuando los extraterrestres trataron de capturar a Stitch, éste casi le arrancó la cabeza a Pleakley de una mordida. El jefe de Nani estaba furioso y la despidió. Fue una pésima noticia para Lilo y Nani.

11

En casa, Stitch comenzó también a despedazar las cosas.

–Tenemos que devolverlo – le dijo Nani.

–¡Pero si ya lo adoptamos! –le reprochó Lilo–. ¿Te acuerdas de
Ohana? ¡Papá decía que *Ohana* significa familia! Y tu familia...

–Nunca te abandona ni te olvida –terminó Nani. Recordó lo cariñosos
que eran sus padres y lo importante que era la familia para ellos. Cambió
de opinión. Le daría a Stitch otra oportunidad, por Lilo.

Esa noche, mientras Lilo dormía, Stitch encontró un libro llamado *El Patito Feo*. Lo hojeó y se dio cuenta de que el patito pasaba mucho tiempo solo, como él.

Despertó a Lilo y le mostró el libro. Le explicó que el patito estaba triste porque nadie lo quería. Stitch podía entender cómo se sentía. Él también quería sentir que pertenecía a alguien.

Lilo decidió enseñarle a Stitch a ser bueno, para que todos lo quisieran. Primero, trató de enseñarle a bailar hula hula. Lo hacía bastante bien, hasta que sus giros se salieron un poco de control.

Luego trató de enseñarle a tocar el ukulele. Al principio, Stitch lo hacía bastante bien, ¡pero de repente, comenzó a tocar el instrumento como si fuera una guitarra para rock pesado y la *rompió*! Todas las ventanas a su alrededor se hicieron añicos.

Finalmente, Lilo lo llevó a la playa. Ahí, decidió ella, Stitch podría mostrarle a todos lo que había aprendido y lo bueno que podía ser. Stitch tomó el ukulele, caminó contoneándose hasta la orilla, frente a todos los turistas y comenzó a tocar.

14

A los turistas les encantó la música y lo rodearon para tomarle fotos, pero las luces de las cámaras eran demasiado brillantes para Stitch. Tomó una cámara y la aplastó rompiéndola en mil pedazos. Un hombre lo empapó con una pistola de agua. Esto lo enfureció todavía más. Agarró al turista y lo lanzó por los aires. Todos salieron corriendo tan rápido como pudieron. Estaban muy asustados.

Lilo se entristeció. Stitch no había aprendido a ser bueno. Además, el trabajador social vio lo que había sucedido y estaba preocupado por la seguridad de Lilo.

Esa noche, Lilo decidió hablar con Stitch. —Nuestra familia es muy pequeña ahora —le dijo—, pero si quieres, puedes formar parte de ella.

Sin embargo, Stitch sabía que había hecho la vida de Lilo y Nani más difícil. Se volvió hacia la ventana.

—*Ohana* significa familia —continuó Lilo—. Y tu familia nunca te abandona ni te olvida, pero si quieres irte, puedes hacerlo.

Stitch subió a la ventana y se perdió en la noche.

Cuando Lilo despertó, le dijo a su hermana que Stitch se había marchado. —Qué bueno que se fue —dijo tratando de no sonar triste—. No lo necesitamos.

—Lilo —la consoló Nani—, a veces uno lo intenta todo, pero las cosas no siempre salen como uno quiere. A veces las cosas tienen que cambiar... Y en ocasiones, el cambio es para bien. Más tarde, Nani se marchó a buscar trabajo.

Mientras tanto, Jumba había encontrado a Stitch y lo perseguía por el bosque. Stitch se dio cuenta de que después de todo, no quería marcharse: Lilo era su amiga. Corrió de vuelta a la casa.

Cuando Lilo lo vio, supo que tenía que ayudarlo.

—¿Qué vamos a hacer? —preguntó ella.

Juntos, lucharon contra Jumba, pero era una batalla perdida. En el proceso, los extraterrestres destruyeron la casa de Lilo y Nani. Lilo corrió al bosque, devastada. Stitch la siguió.

—¡Lo arruinaste todo! —le dijo.

En ese momento, el Capitán Gantu, otro extraterrestre enviado a capturar a 626, los atrapó y los puso en una celda de contención, en su nave espacial. Stitch escapó, ¡pero la nave despegó con Lilo adentro!

Stitch sabía que tenía que salvar a Lilo. Era su única amiga en toda la galaxia. Encontró a Nani y luego convenció a Jumba y a Pleakley de que los ayudaran a rescatar a Lilo. Salieron a toda prisa en el auto de la policía, en busca de Lilo.

Cuando ya estaban cerca de la nave de Gantu, Stitch saltó del auto. Aterrizó en el parabrisas y se arrastró hasta donde estaba Lilo, pero Gantu logró tirarlo.

Lilo vio a su amigo. —¡No me dejes! —le gritó ella.

—Nunca —contestó Stitch.

Stitch logró volver a la nave de Gantu. Subió por el parabrisas, arrojó a un lado a Gantu y rescató a Lilo.

–Regresaste –dijo Lilo.

– Tu familia nunca te abandona –contestó Stitch, que por fin había entendido lo importante que era la familia.

Con Lilo en sus brazos, Stitch saltó al auto de policía mientras Nani, Jumba y Pleakley pasaban volando.

Fueron a la playa donde la Gran Concejal esperaba para llevarse a Stitch a su planeta. –Ésta es mi familia –dijo Stitch señalando a Lilo y a Nani. Se le permitió permanecer en la Tierra, y el trabajador social decidió no separar a Lilo de su hermana.

Lilo y Stitch se abrazaron felices. Sabían que serían amigos para siempre.

DUMBO

Dumbo echa a volar

—¿**N**o es lindo? –dijeron las señoras elefantas cuando el bebé elefante llegó al tren del circo?. ¿No les parece un encanto? –la Sra. Yumbo estaba orgullosa de su hijo recién nacido, Yumbo Junior.

—Aaah... Aaah... ¡Achú! El bebé elefante estornudó. Todo su cuerpo se estremeció y, de pronto, sus orejas se desplegaron. Eran enormes... mucho más grandes que las orejas de un elefante normal. Las señoras elefantas se quedaron sin aliento y sacudieron la cabeza con desaprobación: –¡Mira nada más esas orejas! –murmuraron–.

El pequeño y precioso Yumbo –se burló una de ellas.

—¿Yumbo? ¡Querrás decir Dumbo! –gritó otra. Todas se rieron. Desde ese día, llamaron Dumbo al pequeño elefante.

La Sra. Yumbo no les hacía caso. Para ella, su hijo era perfecto.

Un día, el tren llegó a un pueblo. Una vez que descargaron el equipo y levantaron las tiendas, comenzó el desfile del circo. Una banda tocó alegremente y la multitud gritó cuando los animales pasaron por las calles. Dumbo iba detrás de su madre, pero sus orejas eran tan grandes que se tropezó con ellas y cayó en un charco de lodo.

Un grupo de niños se burló del pequeño elefante y comenzó a molestarlo. ¡Le tiraron de las orejas con tanta fuerza que se cayó cuando se las soltaron!

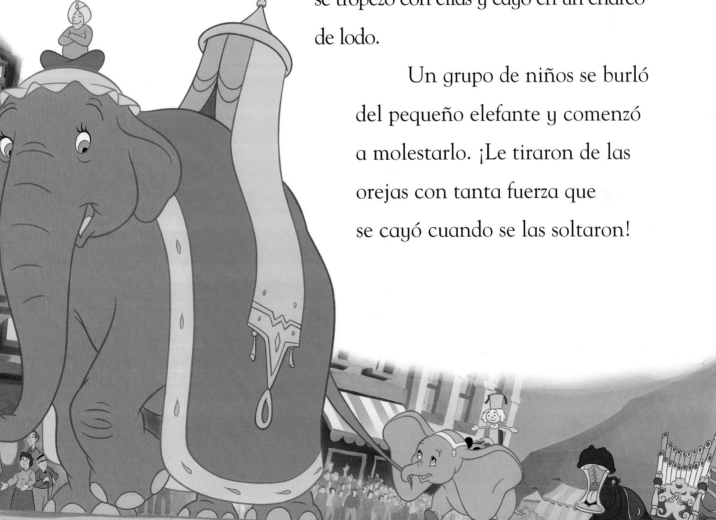

La Sra. Yumbo estaba furiosa. Recogió una paca de heno y la arrojó a la multitud. Los dueños del circo estaban preocupados de que fuera a lastimar a alguien, así que la encadenaron y la encerraron en un vagón.

Muy triste, Dumbo se sentó en un rincón a llorar. Los otros elefantes se burlaban de él. Habían decidido que todo era su culpa. —Sí, porque tiene esas orejotas que sólo su madre puede amar —dijo uno de ellos.

Cuando Dumbo se acercaba, los demás elefantes fingían no verlo. Nadie quería hablar con él. El bebé elefante estaba muy solo. Por fortuna, el Ratón Timoteo estaba sentado cerca de ahí. —¡Pobrecito! —se dijo—. Allá va, sin un amigo en el mundo. El ratón decidió ayudarlo. Se acercó a los elefantes sin que se dieran cuenta. —Así que les gusta aprovecharse de los más pequeños, ¿eh? —les gritó—. Bueno, ¿por qué no tratan de aprovecharse de mí? —los elefantes se alejaron rápidamente porque les tenían miedo a los ratones.

Dumbo también le tenía miedo al ratón, así que se escondió en un montón de paja. –Mira, Dumbo, soy tu amigo. ¡Sal de ahí! –dijo el ratón, pero el elefantito sólo decía que no con la cabeza.

Por fin, Timoteo logró hacer que Dumbo saliera, ofreciéndole un maní y haciéndole promesas. Le dijo a Dumbo que lo ayudaría a encontrar otra vez a su madre, pero primero iba a idear un acto de circo para el pequeño elefante.

El director del circo decidió tratar algo nuevo la noche siguiente: una pirámide de elefantes. Timoteo lo convenció de que Dumbo hiciera el gran final. El joven elefante tenía que saltar de un trampolín y caer en lo alto de la pirámide.

Lo malo fue que cuando Dumbo lo intentó, chocó contra la base de la pirámide e hizo caer a todos los demás elefantes, junto con la gran carpa del circo.

Los elefantes resultaron heridos, por lo que tuvieron que vendarlos y todos se sintieron avergonzados. No podían esperar para desquitarse de Dumbo. El director del circo también estaba enojado con el elefantito, así que decidió convertirlo en un payaso.

Los otros payasos le pintaron la cara a Dumbo y lo vistieron como bebé. Hasta le pusieron un pañal. Luego, el fuego ardió a su alrededor: los payasos fingieron rescatarlo de un edificio en llamas. ¡Hasta le arrojaron agua en la cara!

Y por si eso fuera poco, los payasos lo empujaron por una torre muy alta e hicieron que cayera en una tina con una mezcla de yeso. Al público le encantó el acto, pero Dumbo se sintió avergonzado.

Después de la función, Timoteo trató de animar al elefantito.

–¡Fuiste un gran éxito! –le aseguró–. ¡Deberías sentirte orgulloso!

Dumbo siguió mirando el piso.

Si eso era ser una estrella, él no estaba interesado.

Timoteo se paró sobre una barra de jabón y ayudó al elefantito a quitarse el maquillaje de la cara. –¡Anda! –animó a su amigo–. ¡Tengo que lavarte detrás de las orejas!

Dumbo apenas pudo sonreír.

Al poco tiempo, grandes lágrimas comenzaron a rodar por la cara de Dumbo. Timoteo no sabía qué hacer para que su amigo se sintiera mejor. Entonces se le ocurrió algo. Chasqueó los dedos. –Se me olvidó decirte. ¡Vamos a ir a ver a tu mamá!

El ratón llevó a Dumbo al vagón donde la Señora Yumbo estaba atada. El bebé elefante se paró en sus patas traseras y se asomó ansioso de ver a su madre. La Señora Yumbo trató de acercarse a la puerta, pero las cadenas la detuvieron. Afortunadamente, su trompa cabía entre los barrotes. La sacó y acunó en ella a su bebé, calmándolo con una canción de cuna. Dumbo se sentía seguro y tranquilo.

Cuando llegó el momento de despedirse, ninguno de los dos quería separarse y alargaron el momento todo lo que pudieron.

De regreso en la tienda con Timoteo, Dumbo comenzó a llorar. El ratoncito trató de consolarlo.

–Hemos tenido muy mala suerte hasta ahora –le dijo Timoteo–, pero vamos a hacer grandes cosas juntos, tú y yo.

Dumbo todavía estaba triste, pero era agradable tener un amigo que creyera en él.

Al día siguiente, Timoteo despertó y notó que él y Dumbo estaban en lo alto de un árbol. No tenía la menor idea de cómo habían llegado hasta ahí. Mientras el elefante dormía, el ratón trató de averiguar qué había pasado.

—Veamos —reflexionó—. Los elefantes no pueden trepar a los árboles, ¿o sí? No... ¡Eso es ridículo! ¡No pueden saltar, es demasiado alto!

Un grupo de cuervos estaba sentado en una rama, arriba de ellos.

—¡Oye! A lo mejor volaron hasta acá —dijo el Cuervo.

Timoteo se rió, pero luego se detuvo.

—¡Eso es! —gritó. ¡De repente todo tenía sentido! Timoteo tomó una de las orejas de Dumbo y gritó—: ¿Por qué no lo pensé antes? Sus orejas... ¡Son unas alas perfectas! Precisamente lo que te está causando tantos problemas es lo que te llevará muy alto.

Aunque tardó un poco en convencer a Dumbo, cuando Timoteo le entregó una pluma y le dijo que tenía poderes mágicos que le harían volar, Dumbo extendió las orejas ¡y se elevó por los aires!

Esa noche, bajo la gran carpa, Dumbo estaba en lo alto de la torre en llamas, sujetando su pluma mágica. Estaba a punto de sorprender a todo el circo con su vuelo, pero cuando saltó, ¡la pluma se le resbaló! Dumbo se desplomó hacia el suelo, paralizado de temor. Sin embargo, Timoteo lo animó y le gritó:

—¡La pluma mágica era sólo una broma! ¡Tú puedes volar! ¡De verdad puedes hacerlo!

Justo antes de golpear el piso, Dumbo extendió las orejas. Tal vez Timoteo tuviera razón. Entonces sucedió la cosa más sorprendente: comenzó a volar. Voló más y más alto, dando vueltas y más vueltas. El público estaba asombrado.

Al día siguiente, Dumbo apareció en los titulares de todos los periódicos. Pronto estaba rompiendo marcas mundiales ¡y también haciendo películas! Tal como Timoteo había predicho, ¡Dumbo se convirtió en una estrella!

Ninguno de los animales se atrevía a burlarse ya de Dumbo, que era la atracción principal del circo. Tenía su propio vagón en el tren, aunque por lo general, se la pasaba volando. Cuando Dumbo necesitaba descansar, se detenía a ver a su madre, a la que finalmente habían liberado, y siempre tuvo un sitio especial en su corazón para su fiel amigo, Timoteo el ratón.

El Libro de la Selva

Mowgli Encuentra a un Amigo

Un día, en lo profundo de la selva de la India, un sonido extraño resonó por los árboles. Bagheera la pantera oyó el ruido y corrió por la ribera. Lo siguió hasta que encontró un bote que había llegado a la costa. En su interior, un bebé lloraba. Cuando el bebé vio a la pantera, sonrió. Bagheera decidió llevar al chico a una familia de lobos que vivía cerca. La madre acababa de tener cachorros y Bagheera pensó que tal vez podría cuidar a uno más.

Cuando la loba vio al chico, aceptó cuidar de él. Le puso Mowgli y durante diez años lo crió como hijo suyo. Mowgli era un cachorro de hombre muy feliz. Pasaba los días corriendo y jugando con sus hermanos y hermanas lobos. Un día, llegaron a la selva malas noticias.

Shere Kan el tigre había vuelto después de una larga ausencia. El tigre era malo y odiaba a todos, pero más que nada, odiaba a los hombres.

Eso quería decir que la selva ya no era un lugar seguro para Mowgli. Los lobos decidieron que debía irse la aldea de los hombres de inmediato.

Bagheera había vigilado a Mowgli a lo largo de los años y se ofreció a llevarlo. Los lobos aceptaron su ofrecimiento. Esa noche, el chico viajaba en el lomo de la pantera mientras avanzaban por la selva.

Mowgli se cansó pronto.

–¿No es hora de regresar a casa? –preguntó soñoliento.

Bagheera sacudió la cabeza.

–No vamos a volver –dijo la pantera–. Te voy a llevar a la aldea de los hombres.

Pero Mowgli no quería irse de la selva.
Era su hogar.

—¡No quiero ir a la aldea de los hombres!
—gritó. Entonces agregó—: Puedo cuidarme solo.

—No durarías ni un día —dijo Bagheera.
Entonces subió a Mowgli arriba de un árbol,
donde pasarían la noche.

A la mañana siguiente, Bagheera estaba
listo para continuar el camino a la aldea.
Mowgli se sujetó a un tronco.

—Aquí me voy a quedar —declaró. La pantera trató de soltarlo, pero
Mowgli se aferraba firmemente. Por fin, Bagheera tiró tan fuerte que
perdió el equilibrio y salió volando hasta un estanque grande.

—¡Eso lo decide! —gritó la pantera—. De ahora en adelante, estás solo.
Entonces Bagheera desapareció en la selva.

Mowgli empezó a caminar en la dirección opuesta.

–Puedo cuidarme solo –dijo en voz alta. Un poco más tarde, se sentó a la sombra. Mientras descansaba, comenzó a preocuparse y a pensar que tal vez no podría cuidarse solo.

En ese momento, un oso llamado Baloo salió de la selva y lo miró. Un cachorro de hombre en la selva era algo que no se veía todos los días, así que el amistoso oso se acercó para olerlo. Mowgli estiró el brazo y abofeteó a Baloo en la nariz.

–¡Ay! –gritó el oso–. ¡Sólo quería ser amable!

–Vete y déjame solo –le dijo Mowgli con el ceño fruncido.

Pero Baloo no le hizo caso. Se sentó junto al cachorro de hombre y le dio palmaditas en la espalda. –Ésas son palabras muy serias, Pantaloncitos –dijo el oso. Entonces decidió que Mowgli necesitaba divertirse. Baloo saltó y empezó a moverse como un boxeador.

–Oye, muchacho, Baloo te va enseñar a pelear como un oso.

Las tonterías del oso hicieron reír a Mowgli y pronto estaba también bailando y boxeando como Baloo. Cuando terminaron, Mowgli saltó a la barriga de su nuevo amigo y le hizo cosquillas.

–Eres un buen chico –le dijo Baloo suavemente.

En ese momento, Bagheera se acercó a ellos. Había vuelto para cerciorarse de que Mowgli estuviera bien. La pantera le dijo a Baloo que pensaba que Mowgli debía ir a la aldea de los hombres para estar a salvo de Shere Kan.

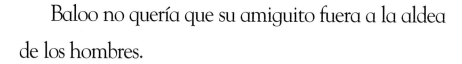

Baloo no quería que su amiguito fuera a la aldea de los hombres.

—Lo van a arruinar. Lo van a convertir en un hombre —dijo el oso.

Bagheera suspiró. Sabía que Mowgli nunca se iría ahora que se había hecho amigo de Baloo. La pantera los miró mientras saltaban al río y se alejaban flotando perezosamente.

¡De pronto, un grupo de monos capturó a Mowgli! Comenzaron a aventarlo de un lado a otro. —¡Devuélvanme a mi cachorro de hombre! —gritó Baloo. Pero los monos no le hicieron caso al oso y se llevaron a Mowgli. Baloo encontró a Bagheera y los dos siguieron a los monos a lo profundo de la selva.

Los monos llevaron a Mowgli con su líder, el Rey Louie, que vivía entre unas ruinas antiguas. El rey mono quería hacer un trato. Si el cachorro de hombre le enseñaba a hacer fuego, entonces Louie lo ayudaría a quedarse en la selva.

–Pero yo no sé hacer fuego –dijo Mowgli.

El Rey Louie no le creyó. Bailó a su alrededor, tratando de convencer al jovencito de que le dijera el secreto del fuego del hombre.

Cuando Bagheera y Baloo llegaron a las ruinas, vieron que Mowgli estaba bailando con los monos. Bagheera le dijo a Baloo que distrajera al Rey. El oso sabía exactamente lo que debía hacer.

Se vistió como un enorme mono hembra y sacudió las pestañas en dirección del Rey Louie.

Cuando Bagheera estaba a punto de rescatar a Mowgli, el disfraz de Baloo se cayó. Los monos persiguieron a los amigos por todas las ruinas. Entonces Louie chocó con una columna y las ruinas empezaron a derrumbarse. Mowgli, Baloo y Bagheera se alejaron rápidamente.

Más tarde, mientras Mowgli dormía, Bagheera trató de hacer entender a Baloo que el cachorro de hombre no estaba seguro en la selva, especialmente con Shere Kan rondado por ahí. Baloo se dio cuenta de que la pantera tenía razón.

A la mañana siguiente, Baloo y el cachorro de hombre empezaron a caminar.

—¿Dónde vamos? —preguntó Mowgli después de un rato. Baloo tragó saliva. —Ah, mira, amiguito... Tengo que llevarte a la aldea de los hombres. Es ahí donde perteneces —tartamudeó. —¡Pero dijiste que éramos compañeros! —le reprochó Mowgli—. ¡Me dijiste que podría quedarme contigo! El cachorro de hombre se alejó corriendo. Triste, se sentó en un tronco mientras una lluvia ligera comenzaba a caer. ¡De pronto, Shere Kan apareció!

—No me asustas —le dijo Mowgli. Recogió una rama pesada y se preparó para luchar con el tigre.

Shere Kan rugió y se lanzó contra Mowgli.

Cuando Shere Kan estaba a punto de aterrizar sobre el cachorro de hombre, chocó contra el suelo. ¡Baloo estaba ahí y había sujetado al tigre por la cola! —¡Corre, Mowgli, corre! —le gritó el oso.

Mientras Baloo luchaba por mantener al tigre alejado de Mowgli, un relámpago cayó muy cerca y provocó un incendio. El cachorro de hombre recogió una rama en llamas y la ató a la cola de Shere Kan.

Cuando el poderoso tigre vio el fuego, lanzó un rugido de terror y corrió para salvar su vida.

¡Mowgli había derrotado a Shere Kan! Pero no todos habían escapado ilesos. Baloo yacía en el suelo... y no se movía.

–Baloo, levántate –imploró Mowgli. Pero Baloo no respondió.

Bagheera llegó al claro de la selva. Al ver al oso que yacía inmóvil en el suelo, empezó a reconfortar a Mowgli.

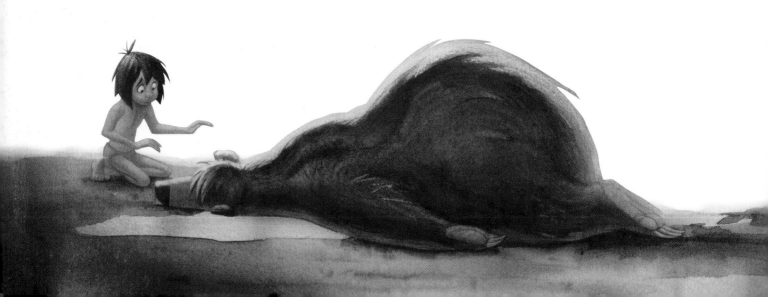

De pronto, una voz familiar interrumpió a la pantera.

–¡Estoy bien, Pantaloncitos! –exclamó Baloo–.
Estaba descansando, ya sabes, tomándome las
cosas con calma.

–¡Baloo, estás vivo! –gritó Mowgli
y abrazó a su amigo.

Cuando Baloo se levantó, los tres amigos
volvieron a la selva. De pronto, Mowgli oyó
que alguien cantaba.

–Quiero ver qué es –les dijo a Baloo y
a Bagheera. Entonces trepó a un árbol y vio a una
chica. Cuando ella lo vio, se rió tontamente.
Mowgli se volvió hacia sus amigos y se encogió
de hombros.

Baloo y Bagheera vieron que Mowgli seguía a la niña hacia la aldea de los hombres. —¡Mowgli, regresa! —le gritó Baloo.

—Déjalo ir —dijo Bagheera.

Baloo suspiró. Sabía que eso era lo que tenía que hacer. Su amiguito tenía un nuevo hogar.

—Sigo pensando que habría sido un gran oso —comentó Baloo. Entonces, pasó su brazo sobre Bagheera y los dos regresaron a la selva, felices de saber que su amigo estaba en el lugar al que pertenecía.

EL
REY LEÓN

Los Mejores Amigos de un León

Mufasa, el Rey León, era el soberano de las Tierras del Reino. Cuando su hijo Simba nació, los animales se inclinaron en señal de respeto mientras el sabio babuino, Rafiki, presentaba al cachorro. Sabían que algún día Simba sería su líder. Todo formaba parte del Ciclo sin Fin.

Hasta antes de que naciera Simba, su tío Skar había sido el siguiente en la línea para suceder al Rey. No había nada que el codicioso león ambicionara más, así que ideó un plan malvado.

—Tu padre te tiene una sorpresa —le dijo Skar a su sobrino una mañana mientras lo llevaba hacia un cañón profundo—. Quédate en esta roca mientras voy por él.

Ansioso por ver su sorpresa, el cachorro obedeció. No sabía que Scar había ordenado a algunas hienas que espantaran a una manada de antílopes para provocar una estampida que se dirigiría hacia él. Tampoco sabía el cachorro que Skar había ido a advertir a Mufasa que su único hijo estaba en peligro.

—Era un trampa... ¡y funcionó!

Tal como lo esperaba Skar, Mufasa saltó hacia el cañón y corrió hacia Simba, que colgaba de una rama. Cuando el Rey León llevó Simba a un lugar seguro en una saliente rocosa, estaba muy cansado.

Por unos momentos, la estampida de antílopes estuvo a punto de arrastrar a Mufasa, pero logró sujetarse de la pared rocosa del cañón y comenzó a escalar lentamente hacia arriba.

—¡Hermano, ayúdame! —le gritó Mufasa a Skar.

Sin embargo, en vez de ayudarlo, Skar clavó sus garras en las patas de su hermano. Sonrió con maldad mientras Mufasa caía hacia una muerte segura.

Desafortunadamente para Skar, Simba estaba todavía vivo, pero el malvado león sabía cómo deshacerse de él.

—Si no fuera por ti, tu padre estaría todavía vivo —le dijo al cachorro, que no vio lo que Skar había hecho—. Huye... ¡y nunca vuelvas!

Y eso fue lo que hizo Simba.

Simba corrió hasta que el suelo se endureció y se agrietó bajo sus patas cubiertas de ampollas, y sus pequeñas y adoloridas piernas se desplomaron de agotamiento. Se quedó dormido inmediatamente. Pero cuando despertó, las cosas eran muy diferentes.

El desierto se había convertido en una selva exuberante. Y en vez de estar

solo, lo acompañaba un jabalí llamado Pumba y una suricata
llamada Timón.

–¡Te salvamos! –gritó la suricata.

Era obvio para Timón y Pumba que algo le molestaba a Simba, pero el
cachorro no quería hablar de eso, y ellos no insistieron.

Después de todo ¡su lema era hakuna matata, que quiere decir
"*sin preocupaciones*"!

–Tienes que dejar atrás el pasado –le dijo Timón a Simba.

A Timón y Pumba no les importaba lo que
el cachorro creía que había hecho.

Les agradaba y querían que se quedara en la selva. Y así lo hizo.

Por supuesto que Simba tuvo que acostumbrarse a algunas cosas, como no tener cebras ni antílopes ni hipopótamos para comer. En vez de eso, Timón le enseñó una nueva clase de alimento: ¡larvas! El cachorro comía también termitas y otros insectos que se arrastraban por la selva.

–¡Pronto te van a encantar! –le dijo Pumba.

Simba no creía que nunca le fueran a gustar, pero de todos modos se los comía.

Lo que sí le gustaba al cachorro de león eran
sus nuevos amigos.

Con Timón y Pumba, cada día
estaba lleno de nuevas
aventuras, juegos
y diversión. Cuando no
estaban jugando,
estaban comiendo;
cuando no estaban
comiendo, estaban
jugando; y cuando no
hacían ni lo uno ni lo otro,
se dedicaban a descansar.

Con el paso de los años, la amistad se hizo cada vez más fuerte, y el
pasado triste de Simba se desvaneció... casi por completo.

Un día, mientras Timón y Pumba estaban cazando escarabajos, una extraña apareció en la selva: ¡una leona feroz, sola y muy hambrienta!

—¡Aaaaggh! —gritó Pumba mientras huía. Pero el jabalí se atoró en la raíz de un viejo árbol.

—¡Aaaaggh! —chilló Timón, mientras trataba de empujar a Pumba para liberarlo antes de que la leona los atacara.

Por fortuna, Simba oyó los gritos de sus amigos y corrió a defenderlos. Ahora que era un león adulto, pudo tirar fácilmente a la leona al suelo, pero ella se recuperó rápidamente y lo puso contra el suelo. Sólo entonces se dio cuenta Simba de con quien estaba luchando.

—¿Nala? —dijo. ¡Era su amiga de la infancia!

Nala se sorprendió al verlo. ¡Skar le había dicho a toda la manada que Simba estaba muerto! Nala le dijo a su viejo amigo que Skar había permitido que las hienas se apoderaran de las Tierras del Reino.

—Todo está destruido. No hay comida ni agua. ¡Eres nuestra única esperanza! —exclamó.

Cuando Timón, Pumba
y Nala despertaron a la
mañana siguiente, Simba
se había ido.

—El Rey ha vuelto —les
informó Rafiki.

Al principio, Timón
y Pumba no entendieron,
pero Nala sí. Les contó
acerca de Skar y de cómo

se había apoderado del trono y arruinado las otrora fértiles Tierras del Reino.

—Simba debe enfrentarse a su tío para tomar su lugar como Rey —les
explicó. También les dijo que tal vez iba a necesitar algo de ayuda.

—Si es importante para Simba —dijo Timón—, estamos con él hasta el fin.

Timón, Pumba y Nala se apresuraron para alcanzar a Simba. Lo siguieron a las Tierras del Reino.

Una vez allí, Simba dejó escapar un rugido impresionante y subió a la Roca del Rey para enfrentarse a su malvado tío.

—Ríndete, Skar —le ordenó Simba.

Pero su tío no iba a renunciar tan fácilmente al reinado. Skar y las hienas se defendieron y pronto Simba estaba colgando de un precipicio.

—Así se veía tu padre antes de morir —se burló Skar.

Simba se dio cuenta en ese momento de que Skar era el responsable de la muerte de Mufasa, ¡no él! Lleno de rabia, saltó a la saliente. Con Timón, Pumba y Nala a su lado, se enfrentó a Skar y a las hienas.

Los amigos lucharon con valor. Skar atacó a Simba, pero el león más joven se hizo a un lado rápidamente. Skar cayó y encontró la muerte. Poco después, las hienas se retiraron. Terminada la batalla, Simba se convirtió inmediatamente en el Rey.

Bajo el reinado sabio y justo de Simba, las Tierras del Reino pronto volvieron a su antiguo esplendor. Simba llegó a ser un gran un Rey, como su padre. Él y Nala pronto tuvieron un cachorro propio.

El Ciclo sin Fin continuó, tal como debía ser. Simba vivió feliz para siempre... ¡junto con los dos amigos más verdaderos y leales que cualquier Rey León haya tenido jamás!

La Dama y el VAGABUNDO

Amigos a Pesar de Todo

Reina, una hermosa perrita cocker spaniel, adoraba a sus dueños. El día que llegó a la casa los oyó hablar entre sí y se dio cuenta de que sus nombre debían ser Jaimito y Linda. Cada mañana, Reina despertaba a Jaimito para que fuera al trabajo. Le llevaba sus pantuflas e iba a buscarle el periódico. Durante el día le hacía compañía a Linda y siempre disfrutaban de una caminata juntos, por la tarde.

Cuando Reina cumplió seis meses recibió su primer collar y su placa. Después de que Linda se los puso, saltó feliz hasta el jardín. Estaba muy emocionada y quería mostrarle su placa a sus mejores amigos, Jock, el terrier escocés, y Triste, el sabueso.

Los dos admiraron su placa. Reina levantó la cabeza muy en alto. Estaba muy orgullosa.

En el otro lado del pueblo, Golfo era un perro callejero que no era precisamente lo que las personas llamarían respetable. No tenía dueño ni un hogar propio. Era libre, no tenía collar, pero también era muy listo. Tenía buen corazón y con frecuencia rescataba a sus amigos de las garras del perrero. No quería que los encerraran.

A Golfo le encantaban las persecuciones. Una tarde, engañó y estuvo burlándose del perrero hasta que lo perdió. Entonces miró a su alrededor y notó que estaba en una parte muy elegante de la ciudad.

–La colina de los presumidos –murmuró. Estaba contento de no vivir en esta clase de vecindario. Parecía aburrido–. Me pregunto qué hacen para divertirse los que andan con collar y correa.

Curioso, Golfo se metió en un jardín y oyó por casualidad a Reina
y a sus amigos.

—Supongo que fue algo que hice —decía Reina con tristeza—. Jaimito
y Linda están actuando de un modo muy extraño. Jock y Triste sólo
sonrieron. Sabían cuál era el problema. ¡Linda estaba esperando un bebé!

Reina estaba confundida.

—¿Qué es un bebé? —preguntó.

—Sólo un pequeño paquete de problemas —interrumpió Golfo.

Reina lo miró confundida. Nunca había visto a ese perro extraño antes.
¡Ni siquiera tenía collar!¿Recuerdas esos jugosos trozos de carne? – continuó
Golfo—. Olvídalos. ¿Y esa cama tibia y agradable junto el fuego?
¡Te mandarán a una fría caseta!

Jock le dijo a Reina que no le hiciera caso al perro. Luego se volvió hacia
Golfo y le dijo que se marchara.

—Bueno, bueno —contestó Golfo, y antes de partir, tuvo unas palabras
de advertencia para Reina—. Recuerda, cuando llega el bebé, ¡al perro lo
mandan para afuera!

Reina estaba preocupada, pero por fortuna, las predicciones de Golfo no se hicieron realidad. Cuando el bebé nació, Linda se lo mostró a Reina, ¡que adoró al niño al instante!

Todos los días, Reina vigilaba al bebé. Jaimito y Linda la acariciaban con orgullo. Cuando decidieron tomar unas cortas vacaciones, sabían que el bebé estaría en buenas manos. Además, la tía de Linda, Sara, estaría ahí para ayudar.

Pero la Tía Sara no dejaba que Reina se acercara al bebé. Peor todavía, había traído con ella dos mañosos gatos siameses. Cuando la Tía salió de la habitación, los gatos trataron de comerse al pez dorado. Luego rasgaron las cortinas. Reina trató de detenerlos, pero sus ladridos enfurecieron a la Tía Sara.

–¡Oh! ¡Por todo los cielos! –exclamó mientras bajaba la escalera. Los gatos hicieron que pareciera que Reina había destrozado la habitación y que los había atacado.

La Tía Sara estaba furiosa. Arrastró a Reina hasta la tienda de mascotas ¡e hizo que le pusieran un bozal! Reina estaba muy triste, porque no había hecho nada malo. En cuanto el vendedor le puso el bozal, Reina salió corriendo de la tienda. Los neumáticos de los coches rechinaron. Unas latas se atoraron en su correa, haciendo un ruido espantoso. Luego, unos feroces perros la persiguieron. Reina estaba aterrorizada.

¡De repente, apareció Golfo! Luchó contra los perros malos y rescató a Reina.

–¿Qué andas haciendo por estos lugares? –le preguntó Golfo.

En ese momento notó el bozal.

–¡Ah, pobrecita! Tenemos que quitarte esta cosa. ¡Ven conmigo! –le dijo.

Golfo llevó a Reina al zoológico del pueblo. Allí encontraron a un castor que estaba construyendo un dique. El castor mordió fácilmente la correa que sujetaba el bozal ¡y Reina quedó libre! Estaba agradecida con Golfo y con el castor.

Golfo quería mostrarle a Reina lo maravillosa que podía ser la vida para un perro que no formaba parte de una familia. Decidió llevarla a un restaurante italiano especial. Tony, el dueño, quería mucho a Golfo.

—¿Dónde has estado todo este tiempo? —le preguntó Tony—. ¿Qué tenemos aquí? Oye, Joe, mira, tiene una novia nueva.

Reina se ruborizó.

—¡Esta noche, le daremos lo mejor de la casa —le dijo Tony a Joe, que trabajaba en el restaurante.

—De acuerdo, Tony —dijo Joe—. Tú eres el jefe.

Golfo y Reina miraron el menú. Entonces Golfo ladró.

Tony sabía exactamente lo que Golfo quería, y en poco tiempo, regresó con un enorme plato de espagueti con albóndigas. Luego él y Joe cantaron para los perros.

Sin querer, los perros comenzaron a comer el mismo pedazo de espagueti. No se dieron cuenta hasta que sus labios se encontraron en un beso. Entonces Golfo empujó la última albóndiga hacia Reina. Ella se sintió conmovida por su generosidad. Era distinto de lo que ella había pensado. Golfo se sentía de la misma forma. Mientras se miraban a los ojos, estaba claro que se habían enamorado. La noche era hermosa. Reina y Golfo recorrieron uno al lado del otro las calles vacías. El cielo estaba iluminado por las estrellas y la luna llena. Se dirigieron a una colina cubierta de hierba en el parque y se quedaron dormidos.

A la mañana siguiente, Reina estaba preocupada.

–¡Debí haber estado en casa desde hace horas! –lloró.

A diferencia de Golfo, a ella le gustaba pertenecer a una familia.

Pero Golfo quería perseguir pollos, para mostrarle a Reina lo divertida que era su vida. Desafortunadamente, llegó el perrero, que atrapó a Reina y la arrojó en su camión.

Cuando la Tía Sara recogió a Reina en la perrera, estaba tan enojada que la encadenó en el jardín. Reina estaba muy triste. Ya no podría ver al bebé.

Esa noche, ¡Reina vio que una rata entraba por la ventana a la habitación del bebé! Ladró tratando de advertir a la Tía Sara, pero la mujer sólo abrió la ventana para gritarle.

–¡Deja ya de hacer tanto escándalo! ¡Silencio!

Afortunadamente, Golfo estaba cerca y oyó los ladridos de Reina.

–¿Qué pasa? –preguntó.

–¡Una rata! ¡Arriba, en la habitación del bebé! –le dijo Reina.

Golfo corrió a la casa y se metió por la puerta para perros.

Reina por fin logró soltarse de la cadena y lo siguió a la habitación del

bebé. Golfo peleó con la rata y le ganó. Aunque en la lucha derribaron

todo lo que había en la habitación, el bebé estaba a salvo.

Reina estaba muy orgullosa de Golfo.

Pero la Tía Sara no vio la rata. Sólo vio que habían derribado

la cuna. Encerró a Reina en el sótano

y arrojó a Golfo a un armario.

Luego llamó a la perrera para que

se llevaran a Golfo.

Jaimito y Linda llegaron a casa justo cuando el perrero metía a Golfo en su camión.

—¿Qué pasa aquí? —preguntó Jaimito.

—Sólo me estoy llevando a un perro callejero, señor —respondió el perrero—. Lo atraparon atacando a un bebé.

Jaimito y Linda se miraron con preocupación y corrieron al interior de la casa

—¿Tía Sara? ¡Tía Sara! —gritaron.

La mujer trató de explicar lo que había sucedido. Contra sus deseos, Jaimito y Linda dejaron salir a Reina del sótano. La perrita corrió rápidamente escaleras arriba, ladrando.

—¡Aléjenla de aquí! —gritó la Tía Sara.

—Tonterías —afirmó Jaimito—. Está tratando de decirnos algo. ¿Qué pasa chica?

Reina lo llevó hasta la habitación del bebé y le mostró la rata muerta. Jaimito se dio cuenta de lo que había pasado. ¡Golfo era un héroe! Jaimito y Reina fueron a rescatarlo.

Jaimito y Reina llevaron a Golfo a la casa y se convirtió en parte de la familia. Pronto tuvo su propia placa, pero eso no le molestó en lo absoluto, porque quería decir que podría estar con Reina siempre.

En Navidad, Reina y Golfo tuvieron cuatro perritos. Con maravillosos amigos y una familia amorosa, Reina y Golfo vivieron felices para siempre.

EL REY LEÓN II

EL REINO DE SIMBA

Enemigos que se Vuelven Amigos

Simba, el rey de las Tierras del Reino, estaba nervioso. No podía evitar preocuparse por su joven hija, Kiara. Hoy, por primera vez, exploraría ella la región sola. Simba sabía que le aguardaban muchos peligros.

Kiara saltó emocionada de la guarida, pero antes de que pudiera alejarse, Simba la detuvo.

—Quiero que tengas cuidado —le advirtió.

—Bueno, bueno —le respondió su hija—. ¿Me puedo ir ya?

—Hazle caso a tu padre, Kiara —le dijo su madre, Nala.

–No te acerques a las Tierras de Sombras –agregó Simba.

Cuando Kiara se fue, Simba envío secretamente a Timón, una graciosa suricata, y a Pumba, un cariñoso pero torpe jabalí, detrás de ella.

–Amigos, cuento con ustedes –les dijo el Rey León–. El peligro puede estar al acecho detrás de cada piedra.

Kiara estaba fascinada por todas las cosas nuevas que veía. Corrió por los campos y trató de atrapar una mariposa. No pasó mucho tiempo antes de que viera algo mucho más interesante: las Tierras de Sombras, el área de la que su padre le había advertido que se mantuviera alejada.

¡Crunch! Kiara oyó que se rompía una rama. Desafortunadamente para Simba, Timón y Pumba no eran muy buenos espías.

Cuando Kiara los vio, se enojó. Se escapó de ellos y pocos minutos después, se topó con otro cachorro de león. Se llamaba Kovu. Juntos se fueron a explorar, con Kovu a la cabeza. Los cachorros juguetearon y retozaron e incluso estuvieron a punto de ser devorados por cocodrilos hambrientos.

Los cachorros de león no se dieron cuenta de que otros los observaban: la madre de Kovu, Zira, y Simba.

Simba estaba preocupado por la seguridad de su hija. Gruñó y saltó entre los cachorros. En un instante, una enojada Zira se le unió.

Simba reconoció a la leona de inmediato. Su tío, Skar, que había muerto tratando de matar a Simba, había escogido a Kovu como su sucesor. Por eso, Zira había conspirado contra Simba para asegurarse de que su hijo fuera el próximo Rey León.

–Te desterré de las Tierras del Reino –le dijo Simba a Zira–. Tú y tu cachorro, váyanse ahora mismo. No tienes nada que hacer aquí.

–Oh, no, Simba–. Eso es lo que crees –respondió Zira en tono siniestro.

Mientras Zira se llevaba a Kovu, el cachorro miró a Kiara.

–Adiós –le dijo.

–Adiós –le contestó Kiara.

El tiempo pasó y Kiara y Kovu no volvieron a verse. Kiara creció fuerte y elegante, pero Kovu cambió aún más. Zira lo había entrenado para odiar a Simba y a los otros leones de las Tierras del Reino.

Un día, llegó el momento en que Kiara debía ir por primera vez de cacería, sola.

–Papá, tienes que prometerme que me dejaras hacerlo sola –imploró.

Simba aceptó con renuencia, pero cuando Kiara se fue, envió secretamente a Timón y a Pumba tras ella. Simba sabía que sus enemigos los vigilaban, en espera de una oportunidad de vengar la muerte de Skar. No quería que hirieran a su hija.

Cuando Kiara volteó hacia abajo, hacia las llanuras, vio una manada de antílopes. ¡Su primera cacería había empezado! La leona se acercó arrastrándose y entonces ¡crunch! Una ramita se rompió bajo su peso. Kiara sólo pudo ver que la manada se alejaba tan rápido como un relámpago.

Con determinación, trató de nuevo, pero esta vez, pateó accidentalmente unas piedras. Kiara miró impotente cómo se escapaban una vez más los animales.

Mientras la manada pasaba ruidosamente, Pumba y Timón trataron de quitarse de en medio, pero no antes de que Kiara los viera. ¡Estaba furiosa!

–¡Mi padre los mandó! –gritó. Sintiéndose traicionada, la leona se lanzó a correr por la llanura, para alejarse lo más posible de Timón y Pumba.

Kiara corrió hacia las Tierras de Sombras. Simba había tenido razón al preocuparse. Zira le estaba poniendo una trampa a la leona. Ella y sus cómplices prendieron fuego a la llanura para rodear a Kiara con las llamas. Muy pronto, la joven leona se desplomó agotada sobre el pasto.

De repente, otro león apareció y se llevó a Kiara a una zona pantanosa, para ponerla a salvo.

Cuando Kiara abrió los ojos, estaba sola con el otro león.

Le pareció familiar, pero de todas formas lo miró con sospecha.

–¿Kovu? –preguntó ella.

¡Era él, y le había salvado la vida!

Momentos después, Simba llegó al lugar y Kovu le pidió que lo dejara unirse a la manada, tras afirmar que había abandonado las Tierras de Sombras. Pero en realidad, Kovu sólo tenía una cosa en mente: deshacerse del Rey León.

Gracias a que había salvado a Kiara, Simba permitió reacio que Kovu volviera a las Tierras del Reino.

Desde la distancia, Zira se relamió. Sabía que tan pronto como Kovu estuviera a solas con Simba, lo mataría.

Sin saberlo, al día siguiente Kiara interrumpió el malévolo plan. Emocionada de poder pasar tiempo con su amigo de la infancia, convenció a Kovu de que le diera lecciones de acecho.

–Observa al maestro –le dijo Kovu– y aprende.

Mientras trataba de demostrar exactamente a Kiara cómo se hacía, Kovu corrió cuesta arriba y se abalanzó sobre Timón y Pumba, que se quedaron pasmados. El par de amigos estaba persiguiendo a unos pájaros que se comían a los mejores bichos.

Timón y Pumba les pidieron que espantaran a los pájaros. Kiara dejó salir un fuerte rugido y empezó a corretear tras ellos. Kovu la siguió, pero no entendía.

–¿Por qué lo haces? –preguntó. Kiara se rió.

–¡Para divertirme! –exclamó ella.

Kovu nunca había hecho nada sólo para divertirse. Rugió junto con Kiara y salieron corriendo tras los pájaros. Hasta Kovu se estaba divirtiendo, cuando de repente causaron una estampida de rinocerontes. Los dos leones corrieron en sentido contrario, junto con Timón y Pumba. Todos se agacharon y se metieron en una pequeña cueva, riéndose.

Kovu nunca se había divertido tanto.

Esa noche, Kovu y Kiara estaban en el pasto mirando las estrellas. Kovu se sentía muy cerca de Kiara, pero se debatía entre ella y la lealtad a su madre. No sabía qué hacer.

Cuando Kovu empezaba a alejarse de Kiara, Rafiki, el babuino sabio, apareció. Sabía que Kovu y Kiara habían nacido uno para el otro y que sólo necesitaban un  empujón en la dirección correcta. Llevó a los leones a un lugar romántico. Kovu y Kiara se dieron cuenta de lo que había en sus corazones: ¡se habían enamorado!

Después de que la pareja volvió de allí, Simba advirtió un cambio en Kovu. Al día siguiente, el Rey León lo llevó a una caminata y le dijo la verdad acerca de Skar: cómo se había apoderado de las Tierras del Reino tras matar al padre de Simba y cómo casi había permitido que los leones se murieran de hambre.

—Skar no pudo deshacerse de su odio y al final eso lo destruyó —le dijo Simba. —Nunca había oído la historia de Skar de esa manera —admitió Kovu. ¡No podría creer lo equivocado que había estado! Kovu miró a Simba con admiración. Decidió que haría lo correcto.

En ese momento, Zira y sus seguidores aparecieron, listos para atacar.

—¡No! —gritó Kovu, pero cayó inconsciente de un golpe.

Las leonas persiguieron a Simba gruñendo. Desesperado, el Rey León subió a una colina con troncos flojos y apenas logró escapar de la emboscada.

Simba volvió a las Tierras del Reino, herido y agotado. Cuando Nala atendía sus heridas, Kovu se acercó, sólo para ser rechazado por una muchedumbre de animales enojados.

Todos los habitantes de las Tierras del Reino estaban seguros de que el ataque a Simba había sido parte del plan de Kovu.

Kovu trató de explicar lo sucedido, pero sólo Kiara le creyó.

Cuando Simba exilió a Kovu de las Tierras del Reino, la leona lo siguió.

Pronto, Kiara alcanzó a Kovu.

—Tenemos que volver —dijo ella—. Nuestro lugar está con la manada. Si nos escapamos, estarán divididos para siempre.

Kovu estuvo de acuerdo. Cuando volvieron, la batalla ya había empezado.

—¡Esto no puede seguir! —imploró Kiara a su padre.

Simba miró a Kovu y a su hija. Sabía que Kiara tenía razón y que debían escoger la paz antes que el combate. Hasta los seguidores de Zira estuvieron de acuerdo. Sin embargo, Zira estaba todavía enojada.

En un intento final por matar a Simba, Zira cayó en un río caudaloso. Kiara trató de salvarla, pero la madre de Kovu fue arrastrada por la corriente y se llevó consigo todo el odio que había existido entre las dos manadas.

Los animales de las Tierras del Reino pudieron vivir finalmente en armonía. Nala y Simba le dieron la bienvenida a la manada de Kovu. Junto con Kiara y Kovu, se regocijaron de la nueva paz en el reino.

Robin Hood

El Amor lo Conquista Todo

Había una vez una hermosa zorra llamada Lady Marian. Un día estaba jugando en el patio del Castillo de Nottingham, con su dama de honor, Lady Kluck. Cerca, un joven conejo llamado Skippy practicaba el tiro al arco. Cuando una de las flechas voló hacia el patio, fue a recogerla y chocó con Lady Marian.

Sus amigos llegaron también. Nunca habían visto a Lady Marian de cerca.

—Eres muy hermosa —le dijo un conejito llamado Tagalong.

—¿Es cierto que te vas a casar con Robin Hood? —le preguntó otro conejo.

—Mamá dice que tú y Robin Hood son novios —añadió Tagalong.

—Eso fue hace varios años, antes de irme a Londres —respondió Lady Marian. Entonces les mostró a los niños el árbol en el que Robin Hood había tallado sus iniciales—. Seguramente ya se olvidó de mí —observó.

Más tarde, después de que los niños se fueron, Lady Marian estaba sentada en el castillo, pensando en Robin Hood. Era un zorro muy apuesto y habían estado enamorados, pero entonces el Rey Ricardo, un valiente león que era su tío, se había ido a la guerra. En su ausencia, su hermano, el Príncipe Juan, que también era un león, había usurpado el poder.

El príncipe era muy ambicioso y trató de apoderarse de todo el dinero que pudo. Incluso les robó a los más pobres de su reino. Pero Robin Hood no lo iba a tolerar. Empezó a robar dinero de los ricos para devolverlo a los pobres. El Príncipe Juan lo odiaba y ofreció una recompensa por su captura.

Marian miró el cartel de "SE BUSCA" de Robin Hood, que guardaba en su cuarto. ¿Sabía él cuánto lo amaba? se preguntó ella.

Mientras tanto, en el bosque de Sherwood, Robin Hood y su amigo oso, el Pequeño Juan, hacían tareas en su escondite. El Pequeño Juan colgaba la ropa y Robin Hood cocinaba la cena. No pasó mucho tiempo para que la olla empezara a hervir. El zorro estaba distraído.

—¡Se está quemando la comida! —gritó el Pequeño Juan.

—Lo siento —respondió Robin—. Supongo que otra vez estaba pensando en Lady Marian.

—Deja ya de lamentarte. Cásate con la chica —le dijo el Pequeño Juan.

—¿Casarme con ella? —preguntó Robin—. ¿Y qué puedo ofrecerle? Ella es una dama de alto linaje. Yo soy un fugitivo. Pero no podía dejar de pensar en ella... estaba enamorado.

Más tarde, llegó un tejón: el Fraile Tuck. Les contó a Robin y al Pequeño Juan acerca de un torneo de tiro al arco que el Príncipe celebraría al día siguiente. Robin sabía que podía ganar el torneo, pero no quiso arriesgarse a que lo arrestaran.

Entonces el Fraile Tuck le dijo cuál era el premio: Un beso de Lady Marian. Robin Hood tomó una decisión en ese mismo momento. Iría al torneo y lo ganaría, junto con el corazón de Lady Marian. Y de algún modo, lo haría sin que lo arrestaran.

Al día siguiente, Robin Hood y el Pequeño Juan se disfrazaron y fueron al torneo. Robin Hood iba vestido de cigüeña y el Pequeño Juan llevaba un disfraz de duque. Robin se acercó al Sheriff de Nottingham y lo saludó. ¡Al ver que el Sheriff no lo reconocía, supo que su plan iba a funcionar!

Mientras tanto, Lady Marian y Lady Kluck habían llegado al torneo.
La hermosa zorra tuvo el presentimiento de que vería a Robin Hood.

–Ah, Klucky, estoy tan emocionada –le dijo Lady Marian–.
¿Pero cómo lo reconoceré?

–Oh, él le hará saber de algún modo –respondió Lady Kluck–.
Ese pícaro joven está lleno de sorpresas.

Se dirigieron al palco real, donde
Lady Marian estaría observando
el torneo.

Marian se sentó al lado del Príncipe Juan en el palco real. Al otro lado del Príncipe estaba el Pequeño Juan. ¡Su disfraz era tan bueno que el Príncipe pensó que era el duque de Chutney!

Al poco tiempo, los arqueros empezaron a desfilar frente al palco real. Nadie supo que Robin Hood era uno de ellos, ni siquiera Lady Marian. El fugitivo se acercó a ella y le entregó una flor.

–Es un gran honor poder participar para ganar el favor de una dama tan encantadora como usted –dijo Robin. Entonces le guiñó un ojo–. Espero ser el ganador del beso.

Lady Marian se dio cuenta de que quién era realmente la cigüeña.

–Le deseo suerte –dijo–, con todo el corazón.

Los arqueros comenzaron a disparar. Robin Hood acertó un blanco tras otro. Unas cuantas rondas después, sólo quedaban dos contrincantes: El Sheriff y Robin Hood. El blanco se alejó treinta pasos más. El Sheriff dio en el blanco. Entonces, mientras Robin apuntaba, el Sheriff lo golpeó con su arco para tratar de sabotear el torneo.

La flecha viajó hacia arriba, pero sin perder un segundo, Robin disparó otra flecha hacia la primera, que la hizo bajar hacia el blanco, y se impacto directamente en él.

¡Fue tan precisa que partió la flecha del Sheriff en dos! Robin Hood había ganado el torneo.

Pero cuando Robin Hood fue a recibir el beso de Lady Marian, el Príncipe se dio cuenta de quién era. Utilizó su espada para cortar el disfraz del zorro.

—¡Atrápenlo! —ordenó el Príncipe Juan a sus hombres—. Te sentencio a una muerte inmediata.

Lady Marian comenzó a sollozar. —Por favor, su alteza. Le suplico que no lo mate.

—¿Y por qué no? —respondió fríamente el Príncipe.

—Porque lo amo, su alteza —dijo Lady Marian.

"¡Marian me ama!" pensó el zorro. "¡He ganado su corazón!"

—Querida, te amo más que a mi vida —le declaró Robin Hood.

La bella zorra estaba jubilosa. Ahora sabía lo que él sentía realmente.

Pero al Príncipe Juan no le importaba. Decidió que Robin Hood debía morir. Afortunadamente, el Pequeño Juan estaba cerca. Puso una daga contra la espalda del Príncipe, para convencerlo de que liberara a Robin Hood.

Entonces se desató una pelea. Los guardias contra Robin Hood y el Pequeño Juan. Hasta Lady Kluck tomó parte en ella. Le dio una voltereta al Sheriff y lo tiró al suelo, pero Lady Marian quedó atrapada en el centro. De pronto, los guardias corrían hacia ella.

–¡Auxilio! –gritó.

Robin Hood saltó para sujetarse de una cuerda y se columpió a través del campo para rescatar a su dama. La tomó con un rápido movimiento y se columpió hacia el palco real, donde le pidió su mano. Ella aceptó mientras él luchaba con más guardias.

Finalmente, pudieron escapar, junto con el Pequeño Juan y Lady Kluck. Volvieron al bosque de Sherwood, donde encontraron al Fraile Tuck y al resto de la banda de Robin Hood y celebraron con un baile.

El Príncipe Juan estaba muy enojado porque Robin Hood se
había escapado. Decidió cobrar más impuestos a todos.
Cuando el Fraile Tuck no quiso pagar, lo enviaron a la
cárcel. El Príncipe lo sentenció a muerte para atraer
a Robin Hood, pero no iba a ser tan fácil atraparlo.
Robin se coló a la prisión y liberó al fraile
y a todos los pobres presos.
Entonces, se robó el oro del Príncipe
y se los dio a los pobres.

Transcurrido algún
tiempo, el Rey Ricardo
volvió y tomó el poder.

Puesto que era un rey justo y equitativo, todo en el reino volvió

a su estado anterior y Robin Hood ya no tuvo que robar.

El Rey perdonó a Robin Hood, ¡lo que quería decir que él

y Lady Marian podían finalmente casarse! Todos sus

amigos fueron a la boda.

Tuvieron una

maravillosa celebración.

Marian y Robin no podían ser más felices. Después de tanto tiempo, por fin podían estar juntos, para siempre.

LA SIRENITA

La Ayuda de Sebastián

*T*odas las criaturas marinas estaban reunidas en el palacio real del Rey Tritón para un concierto. Sebastián el cangrejo, el compositor de la corte, estaba emocionado y ansioso de que todos oyeran su nueva sinfonía. Le indicó a la orquesta que empezara a tocar.

Todo iba muy bien hasta que se abrió un enorme caparazón marino. Ariel, la hija menor del Rey, debía salir del caparazón y comenzar a cantar. Tenía una voz encantadora, y siempre era un placer oírla. Pero cuando se abrió el caparazón, ¡estaba vacío!

El Rey Tritón no podía creer que su hija no hubiera aparecido.

Sebastián tampoco podía creerlo. ¡El concierto estaba arruinado!

Ariel estaba ocupada explorando un barco hundido con su amigo Flounder. Se había olvidado por completo del concierto. Finalmente lo recordó y nadó directo a casa.

El Rey Tritón estaba furioso cuando se enteró de dónde había sido. Creía que los humanos eran peligrosos. –¡Nunca, pero nunca quiero volver a oír que vas a la superficie! –le advirtió.

Ariel se alejó nadando. El Rey Tritón se volvió hacia Sebastián.

–Ariel necesita supervisión constante –le dijo–. Y tú eres el cangrejo que puede hacerlo.

Sebastián se quedó impávido. No quería cuidar a Ariel, pero no podía negarse al pedido del Rey. Se hundió en su caparazón, murmurando para sí:

–¿Cómo me meto en estas situaciones? Debería estar escribiendo sinfonías, no cuidando de una adolescente testaruda.

Ese día, Sebastián empezó a vigilar a Ariel. Los siguió a ella y a Flounder hasta su gruta secreta. Estaba llena de piso a techo con objetos humanos que la sirenita había recogido de barcos hundidos. Se escondió y escuchó atentamente mientras la joven cantaba acerca de sus sueños de formar parte del mundo de los humanos. Estaba tan asombrado que perdió el equilibrio y cayó de la saliente.

Ariel se dio cuenta de que la había estado siguiendo.

–¿Qué es todo esto? –exclamó Sebastián–. Si tu padre supiera de este lugar...

La Sirenita le suplicó a Sebastián que no se lo dijera al Rey Tritón, pero en ese momento, un barco que navegaba sobre ellos llamó la atención de Ariel, que comenzó a nadar hacia él. –¿Ariel? –la llamó el cangrejo.

Entonces se dio cuenta de que la Sirenita iba nadando hacia la superficie.

–¡Medusas saltarinas! –gritó–. ¡Regresa!

Cuando Sebastián y Flounder llegaron a la superficie, se había desatado un huracán y el barco se hundía.

Ariel había rescatado a un humano y lo arrastraba hacia la costa. El humano era el Príncipe Eric y la Sirenita lo encontraba muy guapo. ¡Era lo que siempre había soñado! Debido a que el Príncipe estaba inconsciente, Ariel permaneció a su lado, e incluso le cantó. Pero cuando ella oyó que se acercaba su sirviente, se zambulló en el agua. No quería que nadie supiera que era una sirena. Junto con Sebastián y Flounder, miró cómo despertaba el Príncipe y volvía al palacio con su sirviente.

Sebastián sabía que el Rey Tritón se enojaría mucho si averiguaba lo que Ariel había hecho.

—Vamos a olvidarnos de que esto sucedió —le dijo a Ariel y a Flounder.

125

Pero Ariel no podía dejar de pensar en el Príncipe Eric.

Sebastián trató de razonar con ella.

—¿Puedes sacar la cabeza de las nubes y ponerla en el agua, donde pertenece?

Más que nunca, Ariel quería estar entre los humanos. El cangrejo no parecía poder convencerla de que la vida bajo el mar era mejor que la vida en el mundo de la superficie. Entonces, por accidente, le dijo al Rey que Ariel estaba enamorada de un humano.

El Rey Tritón estaba furioso. Fue a ver a su hija de inmediato.

—¿Has perdido la razón por completo? —le gritó—. Se trata de un humano. ¡Tú eres una sirena!

—No me importa —dijo Ariel desafiante.

El Rey levantó su tridente y destruyó todos los objetos humanos de Ariel. Cuando se fue, Sebastián trató de disculparse.

—Vete —le dijo la Sirenita sollozando.

Sebastián se sentía miserable.

El llanto de Ariel se vio interrumpido por la llegada de dos anguilas malvadas que trabajaban para Úrsula, la bruja del mar. Llevaron a la Sirenita a la cueva de su jefa. Sebastián y Flounder los siguieron.

Úrsula le ofreció a Ariel un trato: la bruja le daría piernas humanas a cambio de su voz.

–Puedo hacer una poción que te convertirá en un ser humano durante tres días –le dijo la bruja del mar–. Si el Príncipe te besa antes de que se ponga el sol al tercer día, entonces seguirás siendo humana para siempre. Pero si no lo hace, te convertirás de nuevo en una sirena, ¡y me pertenecerás!

Ariel supo que era la única oportunidad que tenía de reunirse con el Príncipe Eric. Con renuencia, firmó el contrato. Momentos más tarde, Úrsula había capturado la voz de la sirenita en un caparazón y había transformado su cola en dos piernas humanas. Sebastián y Flounder se acercaron rápidamente para ayudar a Ariel. Ahora que era humana, no podía permanecer bajo el agua mucho tiempo.

Cuando Ariel llegó a la costa rocosa, la saludó otro de sus amigos, Scuttle la gaviota.

Sebastián estaba desesperado.

–¡Esto es una catástrofe! ¿Qué diría su padre? ¡Me voy directo a casa en este momento a contarle todo!

Ariel sacudió la cabeza, puesto que no tenía voz.

–No me sacuda la cabeza, señorita –le dijo Sebastián. Entonces sonrió esperanzadoramente. Tal vez todavía

haya tiempo. Si pudiéramos

hacer que esa bruja

te devuelva la voz, podrías

ir a casa los peces

normales y ser...

ser...

La Sirenita lo miró implorante.

Sebastián suspiró.

–Ser miserable por el resto de tu vida –terminó. Sabía que no podía abandonar a su amiga. –Está bien. Trataré de ayudarte a encontrar al Príncipe.

Ariel estaba tan emocionada y aliviada, que le dio un beso al cangrejo.

Vaya, resulta que tengo un caparazón muy suave después de todo –dijo Sebastián.

Scuttle encontró cuerdas y lona para hacerle un vestido a Ariel.

No pasó mucho para que el Príncipe Eric encontrara a Ariel. Aunque la Sirenita no podía hablar, Eric estaba prendado de ella. Una tarde, la llevó a un paseo en bote en una exuberante laguna. Sebastián ayudó a crear un ambiente romántico con la música y las canciones de las criaturas de la laguna.

¡Pero justo cuando el Príncipe estaba a punto de besar a Ariel, su bote de remos se volcó! Úrsula había mandado a sus dos anguilas para asegurarse de que Eric y Ariel no se besaran.

Con una bola de cristal mágica Úrsula pudo ver que Ariel y Eric se caían del bote.

–Buen trabajo, chicos –dijo a las anguilas–. Estuvo cerca.

Pero Úrsula seguía preocupada de que el Príncipe besara a Ariel antes de la puesta del sol al día siguiente. Así que formuló un malévolo plan: ella misma se convertiría en una bella joven llamada Vanessa. Entonces usaría la voz de Ariel, atrapada dentro del caparazón en un collar, para sonar como la Sirenita y ganarse el corazón del Príncipe.

Esa noche, Vanessa fue a tierra y le cantó al Príncipe Eric. El Príncipe estaba cautivado. Su voz era igual a la de la chica que lo había rescatado. Cuando Vanessa lo hechizó, el príncipe insistió en que se casaran al día siguiente.

Ariel estaba destrozada cuando escuchó la noticia, pero no había nada que pudiera hacer. No tenía idea de que Vanessa era realmente Úrsula disfrazada.

Al día siguiente, Ariel, Flounder y Sebastián estaban sentados en el muelle cuando Scuttle llegó volando. Les explicó que había visto a Vanessa al mirarse en el espejo, ¡y su reflejo había revelado que era realmente Úrsula!

Ariel y sus amigos sabían que tenían que detener la boda. Sebastián soltó un barril y le dijo a Flounder:

—¡Llévala al bote tan rápido como tus aletas te lo permitan! ¡Tengo que ir a ver al rey del mar! Le dijo a Scuttle que retrasara la boda.

Ariel se aferró al barril mientras Flounder lo arrastraba hacia el barco. Cuando llegó, Scuttle tiró del caparazón en el cuello de Vanessa. Ariel recuperó su voz y el hechizo que había puesto sobre Eric se rompió. Pero antes de que se pudieran besar, el sol se puso y Ariel se convirtió en una sirena. Vanessa se transformó en Úrsula y arrastró a la Sirenita bajo el agua. El Príncipe Eric no quería perder a Ariel, así que luchó con la bruja del mar en una violenta batalla que finalmente ganó.

Aunque Úrsula había sido derrotada, Ariel era todavía una sirena.

No podría vivir en el mundo del Príncipe Eric. El Rey Tritón vio lo infeliz que era su hija.

–Realmente lo ama, ¿no es verdad? –le dijo a Sebastián. El cangrejo asintió.

–Entonces supongo que sólo queda un problema –dijo el Rey Tritón.

–¿Y cuál es, Su Majestad? –preguntó Sebastián.

–Lo mucho que la voy a extrañar –le explicó el Rey Tritón.

Entonces, con un destello de luz dorada de su tridente, le dio a Ariel piernas humanas.

Sebastián estaba realmente feliz por Ariel.

Él también la extrañaría, pero estaba seguro de que volverían a verse pronto.

Las Huellas del Invierno

Una mañana de invierno, Bambi, el pequeño venado, dormitaba en los matorrales cuando oyó un sonido como un golpe seco.

–¡Bambi! –lo llamó su amigo el conejito Tambor–. Es un día ideal para jugar.

Bambi se levantó lentamente y siguió a Tambor por el bosque. ¡Era un hermoso día! El cielo estaba azul y soleado y el suelo estaba cubierto con un manto de nieve fresca.
En los árboles brillaban los carámbanos.

–¡Mira estas huellas! –le dijo Tambor con entusiasmo. Señaló a una línea de huellas en la nieve.
–Las vi cuando venía para acá. ¿A quién crees que pertenezcan?

Bambi no tenía la menor idea, así que decidieron seguir el rastro. Iban brincando por la nieve. Al poco rato, llegaron a un árbol y vieron a alguien que pudo haber dejado las huellas.

–¡Despierta, amigo Búho! –dijo Tambor.

El ave los miró desde arriba. Se había posado en su rama favorita del árbol y acaba de quedarse dormido. –¡Dejen de hacer escándalo! –respondió enojado y cerró los ojos.

Bambi y Tambor sonrieron. El amigo Búho estaba siempre de mal humor cuando lo despertaban.

–Amigo Búho, ¿has estado caminando? –preguntó Bambi.

–¿Y por qué iba a hacer eso? –replicó el Búho, abriendo los ojos–. Mis alas pueden llevarme a cualquier parte.

Bambi y Tambor continuaron.

Pronto se encontraron con la amiga de Bambi, Faline.

—Nos puedes ayudar a descubrir quién dejó estas huellas —dijo Bambi, señalando el rastro.

Tambor golpeó impacientemente con el pie. Quería seguir avanzando.

Faline asintió y empezó a caminar con ellos.

Tambor avanzaba rápidamente a saltos. Tal vez su amigo Flor, el zorrillo quisiera venir también.

Pero Flor estaba hibernando. La mamá de Tambor le había dicho que eso significaba que el zorrillo estaría dormido todo el invierno.

Cuando Tambor trató de despertar a Flor, el pequeño zorrillo apenas pudo decir entre dientes "Nos vemos en la primavera" sin abrir siquiera los ojos.

Los tres amigos decidieron seguir sin él.

Tambor marchaba por delante. Siguió las huellas hasta un estanque congelado y lo cruzó deslizándose. –¡Vamos! –les gritó–. De este lado también hay huellas.

Faline y Bambi empezaron a cruzar el estanque. Poco después, Faline había alcanzado a Tambor del otro lado, pero Bambi no era un buen patinador. Las piernas se le doblaron y cayó en el hielo.

–Eh, Bambi, vamos –lo instó Tambor–. Podemos ir a patinar más tarde. Incluso te puedo enseñar a girar.

Después de mucho resbalar y tropezarse, Bambi finalmente tomó carrera y recorrió el resto del estanque sobre su pancita.

A continuación, los tres amigos subieron por una colina nevada.
En la cima, vieron a un mapache sentado junto a un tronco, comiendo
bayas rojas.

–Hola, Sr. Mapache –dijo Faline–. ¿De casualidad vio quién dejó estas
huellas en la nieve?

Pero la boca del mapache estaba tan llena que no podía decir nada.
Sacudió la cabeza y empezó golpear el árbol.

Los amigos echaron una mirada a su alrededor. Entonces oyeron
un golpeteo a lo lejos.

–¡Ya sé! –gritó Tambor–. Dice que debemos preguntar a los pájaros
carpinteros.

–Oh, gracias –dijo Bambi. El mapache se despidió y los amigos
se dirigieron hacia una hilera de pinos.

El golpeteo se hizo cada vez más fuerte. Bambi, Faline y Tambor habían encontrado a los pájaros carpinteros. La mamá picoteaba y sus tres retoños estaban en hoyos dentro del tronco. Asomaron la cabeza cuando oyeron el saludo de Tambor: "¡Hooola!"

La mamá dejó de picotear.

—¿Sí?" —preguntó.

—Lo que pasa es que... —empezó Bambi tímidamente—, nos preguntábamos... bueno, estamos buscando...

—¡Oh, ya basta de rodeos! —interrumpió Tambor—. ¿Dejaron ustedes esas huellas en la nieve? —les preguntó a los pájaros.

—No, hemos estado aquí todo el día —respondió la mamá.

—Sí, sí, sí —agregaron sus bebés.

En ese momento, Faline notó que el rastro continuaba.

—Gracias —les dijo a los pájaros.

Faline se adelantó, mientras Bambi y Tambor caminaban lentamente.

–Si las huellas no pertenecen a los pájaros carpinteros, ni al mapache, ni al Amigo Búho, ¿de quién pueden ser? –preguntó Bambi a su amigo conejo.

–No lo sé –contestó Tambor, frustrado.

Pronto llegaron al final del rastro. Las huellas se dirigían a un arbusto con nieve, donde descansaba la familia codorniz.

–¡Hola! –exclamó la señora codorniz cuando el venadito y el conejo se acercaron.

–¿Dejó usted estas huellas? –le preguntó Tambor.

–Sí, claro –respondió la señora codorniz–. El Amigo Búho me dijo acerca de este maravilloso arbusto. Así que esta mañana, mis bebés y yo caminamos hasta aquí. Tambor y Bambi asintieron. Entonces Tambor señaló a la orilla de la cañada. Faline estaba allí.

–La señora codorniz nos invitó a comer, así que estaba recogiendo algunas hojas –dijo. Los tres amigos se sentaron a comer con la familia codorniz.

Pero el sol ya casi se ocultaba y los amigos tenían que volver a casa.
¡Se habían pasado todo el día siguiendo las huellas! Cuando se dieron
vuelta para marcharse, les esperaba una gran sorpresa: ¡Eran sus mamás!

Bambi saltó sobre su madre y estiró la nariz para recibir un beso.

–Los hemos estado buscando –le dijo tiernamente.

Tambor se sorprendió.

–¿Cómo nos
encontraron? –preguntó.

La mamá de Tambor respondió:

—Bueno, sus hermanas nos pusieron en la dirección correcta y entonces... —miró hacia abajo, a las huellas de venado y conejo que los tres amigos habían dejado en la nieve.

—¡Siguieron nuestro rastro! —gritó Faline. Su madre asintió—. Ahora, vamos a seguirlo hacia casa —concluyó la mamá de Bambi.

Y eso fue lo que hicieron.

¡Ahora los libros más populares de Disney tienen un nuevo diseño!

Y vivieron
Felices para Siempre
Cuentos de amor y amistad

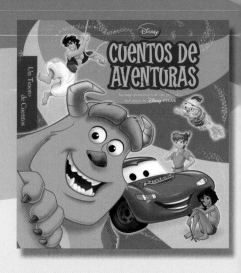

CUENTOS DE AVENTURAS

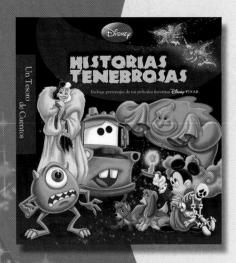

HISTORIAS TENEBROSAS
Incluye personajes de tus películas favoritas Disney·PIXAR

CUENTOS DE AMISTAD

COLECCIÓN DE CUENTOS